La Colère

Y'a pas de mal à être en colère

Textes de
Michaelene Mundy

Illustrations de
R. W. Alley

Pour mon mari Linus,
et pour nos trois enfants Em, Mike et Pat,
qui ont eu, tous les quatre, à subir mes colères
et moi les leurs, et que pourtant
j'aime toujours très très fort.

ÉDITEUR :
ÉDITIONS DU SIGNE
BP 4
67038 STRASBOURG CEDEX 2
Tél. (00-33) (0) 3 88 78 91 91
Fax (00-33) (0) 3 88 78 91 99
e-mail : info@editionsdusigne.fr
www.editionsdusigne.fr

Textes :
Michaelene Mundy

Traduction :
Nadine Deffieux
Didier Dolna

Illustrations :
R.W. Alley

Version française :

Version originale publiée aux USA
Titre original : «Mad Isn't Bad!»

Edité aux USA par One Caring Place - Abbey Press - St. Meinrad, Indiana 47577

ISBN 2-7468-1140-5
Imprimé en Italie par Arti Grafiche - Pomezia (Rome)

Pour les parents, les enseignants et tous ceux qui s'occupent d'enfants

Tout le monde se met en colère ; c'est dans la nature humaine. On se met en colère contre des événements, contre des objets, contre des gens que nous connaissons, contre des gens que nous ne connaissons pas, et même (tout particulièrement ?) contre des gens que nous aimons. Même les nourrissons manifestent de la colère. Il y a un cri du bébé qui est facilement identifiable comme un cri de colère plutôt que de détresse ou de tristesse.

Quand nous étions petits, on apprenait à beaucoup d'entre nous à ne pas manifester notre colère ou même à ne pas en parler. Certains n'hésitaient pas à dire que la colère est mauvaise. Mais la colère n'est pas mauvaise. C'est ce que nous faisons sous l'emprise de la colère qui peut être bon ou mauvais pour nous-mêmes et pour ceux qui sont autour de nous.

Les enfants très souvent ne réalisent pas qu'ils ont le choix quand ils sont en colère ou bouleversés. Il se peut qu'ils aient l'impression qu'il n'y a pas d'autre possibilité pour eux que d'agir et parler en se fâchant, en s'emportant. Nous aussi, les adultes, nous ne réussissons pas toujours à nous rendre compte que nous avons le choix plutôt que de perdre notre sang-froid dans le feu de la colère. Mais au fur et à mesure que, nous les humains, petits ou grands, grandissons en maturité, nous finissons par comprendre que la colère peut être gérée, maîtrisée et exprimée de façon très saine et très positive.

Comme vous le savez déjà, c'est en ayant sous les yeux l'exemple même de la maîtrise qu'un enfant apprendra le mieux à affronter sa colère. Quel cadeau nous offrons aux enfants, quand nous leur montrons que nous pouvons canaliser l'énergie de la colère pour en faire des changements constructifs et obtenir des résultats positifs. Nous pouvons leur enseigner l'avantage qu'il y a à mettre sa colère en mots plutôt que de se taper dessus, la valeur de la confrontation fertile des points de vue, l'utilité qu'il y a à trouver des exutoires physiques à la frustration, la valeur de la longanimité et du pardon.

La colère nous a été donnée ; elle est partie intrinsèque du registre des émotions humaines. À travers ce livre, j'espère que nous pourrons communiquer aux jeunes des façons positives et paisibles de gérer leur colère tout comme nous le faisons nous-mêmes.

—Michaelene Mundy

La colère n'est pas mauvaise

Des sentiments comme le bonheur, la tristesse, la peur et la colère font partie de la vie et de toi-même. Vas-y, laisse-toi aller à tes sentiments : c'est bon d'être soi.

Tu pourrais croire que la colère est mauvaise : ce n'est pas vrai. Il est normal que tu éprouves de la colère quand tu as l'impression qu'on te traite injustement. C'est la façon dont tu vas exprimer cette colère qui peut s'avérer un problème pour toi et ceux qui t'entourent.

La colère est même salutaire

La colère est comme le feu. Il est bon quand il réchauffe ou permet de faire la cuisine, mais il peut échapper à notre contrôle.

La colère est bonne quand elle te pousse à réagir. Elle te donne l'énergie nécessaire pour résoudre un problème ou pour mener à bien un projet. Elle remettra de la puissance dans les tirs d'une équipe de foot qui est en train de perdre. Elle t'aidera à dire à quelqu'un ce qui te gêne ; vous pourrez alors travailler ensemble à arranger les choses.

Qu'est-ce qui te met en colère ?

Si tu es perfectionniste, la colère vient quand tu n'arrives pas à faire aussi bien que quelqu'un qui est plus grand ou plus âgé que toi.

Les gens peuvent, sans intention de te blesser, dire ou faire des choses qui te mettent en colère.

Tu peux te sentir frustré quand tu n'arrives pas à résoudre un problème ou à modifier une situation. Et puis, parfois, tout va mal, tout simplement, sans que ce soit la faute de personne.

Il est bon de connaître les raisons de sa colère. Ainsi, si tu es méchant avec le chat, c'est peut-être parce que tu es encore en colère contre l'enfant qui a été méchant avec toi à la récréation.

Comment se sent-on quand on est en colère ?

Quand la colère vient, tu as l'impression que tu vas exploser. Tu deviens tout rouge, tu respires plus vite, ton cœur bat plus vite. Tes mains veulent empoigner, frapper ou jeter quelque chose ; tes pieds veulent donner des coups ou courir ; ta voix veut crier ou pleurer.

La colère donne de l'énergie. Essaie de penser à la façon d'utiliser cette énergie sans faire du mal, ni à toi ni aux autres.

Pourquoi tu as besoin de faire sortir ta colère

Si la colère ne sort pas, on rumine son ressentiment. Ce n'est pas bon de rester dans cet état et ça ne fait pas avancer les choses.

La colère peut être contagieuse. Si tu te mets en colère et que tu jettes quelque chose ou que tu donnes un coup, l'autre va se mettre en colère à son tour. Et la situation empirera au lieu de s'arranger.

Si tu arrives à libérer positivement l'énergie de ta colère, tu te sentiras mieux.
Tu pourras même, un peu plus tard,
rire en repensant à l'enfant gesticulant et criant que tu as été quelques instants auparavant.

C'est ton choix

La colère peut être effrayante quand on ne sait pas comment la gérer.
Heureusement tu disposes d'une certaine marge de manoeuvre. Tu peux crier et faire une crise ou tu peux rester calme. Si tu es capable de rester calme, tu agiras de manière plus juste et plus intelligente.

Quand quelque chose te met en colère, tu n'es pas obligé de réagir tout de suite. Respire et compte jusqu'à dix ou cent, et REFLECHIS à la meilleure chose à faire ou à dire.

« Je suis en colère mais ce n'est pas de ma faute ». C'est ce qu'on a tendance à dire. Mais celui qui es en colère, c'est bien TOI, et c'est TOI seul qui peux faire quelque chose à ce sujet. Réfléchis donc à ce qui t'as mis en colère, demande–toi ce que tu peux faire pour te sentir mieux.

Quand tu es en colère, dis-le !

Dis : « je suis en colère » ou « je suis furieux ».
C'est important que tu réalises que tu es en colère et que tu le fasses savoir aux autres .
Néanmoins, essaie de le dire sans crier ni gémir.

Parle avec la personne qui t'as mis en colère.
Dis-lui comment tu te sens et pourquoi. Dis :
« je suis en colère parce que................ .»
Dis à l'autre personne ce que tu veux.
Par exemple, tu pourrais dire calmement à ta sœur : « j'aimerais moi aussi utiliser l'ordinateur. Et si on l'utilisait une demi-heure chacun ?»

Fais tout de suite savoir aux gens quand tu es en colère, même si ce n'est qu'un tout petit peu.
N'attends pas d'être très en colère. Car alors, ta colère est plus difficile à contrôler.

Les bonnes façons de libérer ta colère

Trouve pour évacuer ta colère, des moyens qui soient inoffensifs pour toi et pour les autres, et qui ne te feront pas regretter plus tard ce que tu as fait ou ce que tu as dit.

Donne des coups dans un oreiller, piétine un emballage, va courir dehors, trouve un endroit où crier à pleins poumons. Demande à un adulte de t'indiquer un endroit sûr pour faire ces choses là.

Éloigne-toi de ce qui t'a mis en colère. Va dans un endroit calme, sur la balançoire, ou sous un arbre. Ou parle à quelqu'un de ce que tu ressens.

Les mauvaises façons de libérer ta colère

Ne détruis rien sous le coup de la colère, ni des objets à toi, ni ceux des autres. Tu le regretteras probablement plus tard quand tu seras calmé et alors ça pourra être difficile de réparer les dégâts.

Quand nous sommes en colère, nous pouvons faire du mal aux gens, par nos paroles et par nos actes. Nous pouvons blesser les sensibilités. Les mots prononcés sous l'emprise de la colère peuvent faire autant de mal que des coups.

mon sac
elles
moi

Quelques astuces supplémentaires pour gérer ta colère

Inspire profondément et expire lentement.
Tu te rendras compte que finalement tu n'es pas si en colère que ça, et tu pourras réfléchir plus clairement.
(Tu peux avoir besoin de faire ça plusieurs fois).

Si on veut améliorer ses performances et éviter d'être déçu, il faut s'entraîner. Si tu es en colère contre un jeu nouveau, relis la règle du jeu ou demande de l'aide. Fais quelque chose de différent pendant un moment, repose-toi tranquillement ou joue à un jeu que tu connais déjà.

Pour faire savoir ce qui ne va pas, tu peux écrire un mot, ou bien faire un dessin de ce que tu ressens et le partager avec quelqu'un qui t'aime.

Demande de l'aide aux adultes qui t'entourent

Pense aux gens que tu aimes, tes parents, tes grands-parents, tes tantes, tes oncles, un grand frère ou une grande sœur. Comment gèrent-ils positivement leur colère ? Demande-leur des astuces pour bien gérer ta colère.

Ce qui est sans importance ne te mettra pas en colère. Fais donc savoir aux autres ce qui est important pour toi. Les gens qui t'aiment sont prêts à t'aider.

Si tu te rends compte que ça t'arrive souvent de te mettre en colère, parles-en à quelqu'un. Peut-être y a-t-il dans ta vie quelque chose qui ne va pas ?

Être en colère contre Dieu

Sais-tu que c'est normal d'être en colère, même contre Dieu ? N'hésite pas à dire à Dieu comment tu te sens. Dieu peut tout entendre !

Prier est une autre excellente façon de demander de l'aide pour gérer ta colère.
Dieu t'aime et veut que tu te sentes bien.

Dieu sait aussi que tout n'est pas juste dans la vie.
Les mauvaises choses ça arrive aussi aux gentils.
C'est normal d'être en colère quand cela arrive.
Ce qui est important, c'est d'essayer d'être juste envers les autres à chaque fois que tu le peux.

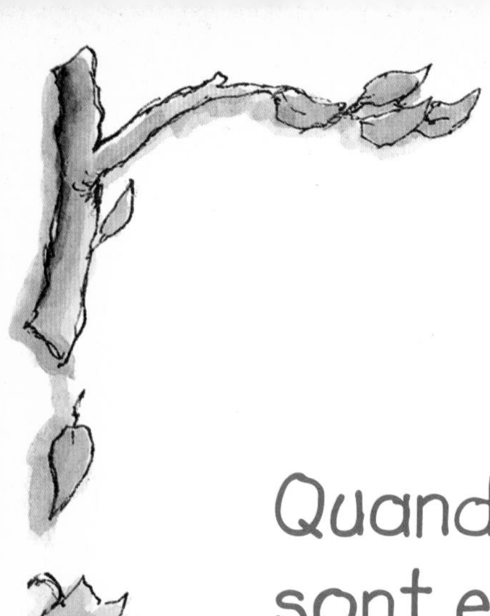

Quand les gens sont en colère contre toi

Quand quelqu'un se met en colère contre toi, écoute ses raisons. Ecouter est important parce que cela t'aide à comprendre le point de vue de l'autre personne.

N'hésite pas à demander à quelqu'un pourquoi il est en colère. Tu peux, toi aussi, aider les autres à se rendre compte qu'ils sont en colère et à réfléchir à la meilleure façon de gérer leur colère.

Pardonne aux autres et à toi-même

Si tu fais du mal à quelqu'un, ou si, sous le coup de la colère, tu casses quelque chose, dis : « excuse-moi ». Fais-toi la promesse de mieux te comporter la prochaine fois.
Dieu te pardonne. Pardonne à toi-même.

Ce n'est pas parce que deux personnes sont en colère l'une contre l'autre qu'elles ne s'aiment plus.
Il se peut que tu aies besoin de dire ou d'entendre « je t'aime ».
Ensuite, parlez ensemble de la raison pour laquelle vous vous êtes mis en colère.

Ça arrive à tout le monde de se mettre en colère. C'est normal d'être en colère.
C'est la façon dont tu gères la colère qui fait la différence.

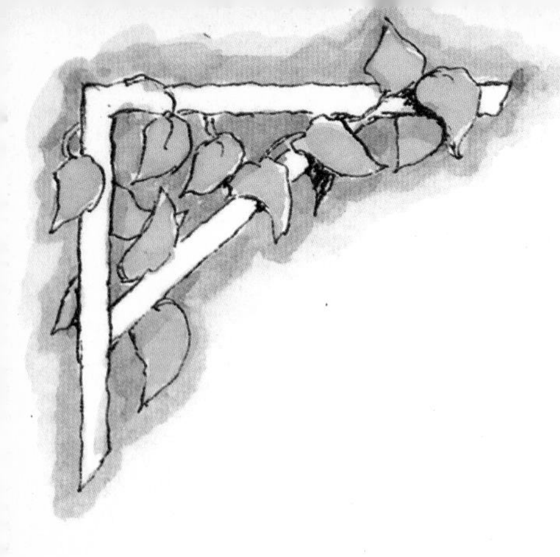

Michaelene Mundy a un diplôme de professeur des écoles ainsi que des diplômes universitaires de conseillère dans le domaine scolaire et socio-éducatif. Elle a enseigné dans le primaire, au cours élémentaire et au cours moyen, travaillé avec des enfants en difficulté scolaire et a exercé la fonction de conseillère à l'université. Mère de trois enfants, elle travaille maintenant comme conseillère d'orientation dans un lycée. Elle est aussi l'auteur du livre pour les enfants « Le Deuil - Y'a pas de mal à être triste » dans la même collection.

R.W. Alley est l'illustrateur d'une série populaire pour adultes et enfants publiée dans la collection Elf-Help (traduit et publié par les Editions du Cerf dans la collection : Un temps pour…). Il est aussi l'auteur et l'illustrateur de plusieurs autres livres pour enfants. Il vit à Barrington dans le Rhode Island, avec sa femme, sa fille et son fils.